Mes jeux éducatifs

1er cycle

Jeux conçus et sélectionnés en fonction de leur valeur éducative

En collaboration avec

Les Éditions Goélette

aqeta
Association québécoise des troubles d'apprentissage

Conception des jeux :
Sophie Binette
Jeanne Côté
Bérénice Junca
Kevin Fillion
Jessica Papineau-Lapierre
Chantal Morisset
Marjolaine Pageau
Marie-Pier S.Viger

Liste des habiletés travaillées, validation des niveaux scolaires
et conception des jeux Bonus, L'intrus et Découvre le mot :
Lise Bibaud, orthopédagogue
Directrice générale de l'AQETA

Annie Parenteau, orthopédagogue
Personne-ressource de l'AQETA

Mélanie Bédard, orthopédagogue
Personne-ressource de l'AQETA

Texte d'introduction :
Brigitte Roussy, directrice des communications de l'AQETA (2011-2013)
Révision octobre 2014

Couverture :
Kevin Fillion et Chantal Morriset

Conception graphique :
Kevin Fillion

Correction :
Maude-Iris Hamelin-Ouellette

© 2015, Les Éditions Goélette inc.
1350, rue Marie-Victorin
Saint-Bruno-de-Montarville (Québec) CANADA J3V 6B9
Téléphone : 450 653-1337
Télécopieur : 450 653-9924
www.boutiquegoelette.com
www.facebook.com/EditionsGoelette

Dépôts légaux : 2e trimestre 2015
Bibliothèque et Archives nationales du Québec
Bibliothèque et Archives Canada

ASSOCIATION NATIONALE DES ÉDITEURS DE LIVRES

Membre de l'Association nationale des éditeurs de livres

Imprimé en Chine

ISBN : 978-2-89690-652-9

L'Association québécoise des troubles d'apprentissage

Fondée en 1966, l'AQETA est la seule association au Québec dont l'action est totalement orientée vers les personnes qui ont des difficultés et des troubles d'apprentissage. Elle est gérée par un conseil d'administration constitué de parents et de membres représentant les milieux de l'éducation primaire, secondaire et postsecondaire, de la recherche universitaire, de la santé et des affaires. En octobre 2015, l'association marquera sa 50e année d'existence.

Sa vision

Être la référence en matière de troubles d'apprentissage

Sa mission

L'AQETA exerce son leadership en matière de troubles d'apprentissage afin d'assurer l'égalité des chances des personnes qui ont un trouble d'apprentissage, de leur permettre de développer pleinement leur potentiel et de contribuer positivement à la société.

L'AQETA accomplit cette mission par le soutien qu'elle apporte aux personnes aux prises avec un trouble d'apprentissage et à leur famille, à la défense de leurs droits auprès des instances, à la formation des intervenants et à la sensibilisation du grand public.

Un trouble d'apprentissage, qu'est-ce que c'est?

Le trouble d'apprentissage est d'origine neurologique, donc permanent. Malgré la mise en place d'interventions ciblées ou de mesures d'adaptation, les difficultés persistent. On parle ici de difficultés en lecture, en écriture, en mathématique, à se concentrer ou à bien gérer son temps, entre autres. Il est important de préciser que le trouble est spécifique à la fonction cognitive touchée, c'est-à-dire qu'il affecte certaines habiletés liées à des apprentissages précis. Plus spécifiquement, si votre enfant a une dyslexie, ce sont ses habiletés de décodage des mots qui sont perturbées, et pas nécessairement son habileté de compréhension. Cependant, sachez qu'un trouble se présente souvent en association avec un autre : dyslexie/dysorthographie, dyslexie/trouble déficitaire de l'attention. Dès lors, votre enfant est en droit de recevoir des services éducatifs qui seront consignés au plan d'intervention adapté. Ces mesures sont établies par une équipe multidisciplinaire, la direction de l'établissement, le parent et le jeune.

Et les difficultés d'apprentissage?

Les difficultés d'apprentissage peuvent apparaître à différentes étapes de l'apprentissage. Indice majeur, les résultats scolaires de l'enfant sont en deçà de ceux attendus compte tenu de son âge. Ou bien, l'enseignant note une détérioration des performances scolaires en cours de cheminement qui ne reflète pas les résultats antérieurs de l'élève. Bien qu'elles induisent un moindre degré de gravité que les troubles d'apprentissage puisqu'elles sont temporaires et ponctuelles, les difficultés doivent être identifiées. Il est essentiel d'en déterminer les causes afin d'établir les interventions à privilégier. Par exemple, un enfant peut être perturbé par le divorce de ses parents ou une maladie. Outre l'aide pédagogique, les interventions impliqueront d'autres professionnels œuvrant à l'école, notamment les psychoéducateurs, les psychologues scolaires et les éducateurs spécialisés.

Les troubles d'apprentissage	Les difficultés d'apprentissage
Permanents Durent toute la vie	Temporaires Peuvent être corrigées
Cause neurologique	Surviennent à différentes étapes de l'apprentissage
Exemple **Dyslexie et dysorthographie :** • L'identification des mots écrits dans la lecture est perturbée et a des répercussions sur l'orthographe ; • Une incapacité soit à automatiser la correspondance lettres-sons, soit à lire à partir de la forme visuelle des mots et à reproduire la prononciation associée aux mots.	**Causes multiples :** • Lacunes en lecture ou en écriture ; • Langue maternelle autre que le français ; • Méthode de travail ; • Trouble psychoaffectif ; • Manque de motivation ou d'intérêt ; • Situation socioéconomique difficile.

Les troubles d'apprentissage dans la population

Au Québec, il y a 800 000 enfants et adultes qui vivent avec un trouble d'apprentissage invisible.

Une question d'intelligence?

Non. Les personnes qui vivent avec un trouble d'apprentissage ont une intelligence comparable ou supérieure à la moyenne. Le trouble affecte certaines habiletés qui sont liées à l'apprentissage, mais qui n'ont rien à voir avec les capacités intellectuelles.

Albert Einstein était dyslexique.

Mythes et fausses croyances

Mon enfant est paresseux. Il a une déficience intellectuelle. Il ne se force pas. Il est dans la lune…

Les troubles d'apprentissage à l'école

En 2000, le ministère de l'Éducation, du Loisir et du Sport (MÉLS) a introduit la notion d'élève à risque dans le but de s'assurer que les jeunes qui rencontrent des difficultés dans leur parcours scolaire fassent l'objet d'une attention particulière et obtiennent une réponse à leur besoin.

Faut-il diagnostiquer les troubles d'apprentissage?

Nul besoin d'un diagnostic pour obtenir des services éducatifs à l'école au secteur jeune (primaire-secondaire). Par contre, les règles diffèrent au postsecondaire (cégep et université), où le diagnostic est exigé pour la prestation de service.

Des enjeux de société

Soutenir

L'AQETA est consultée pour son expertise dans un esprit de collaboration avec les différentes instances. Elle est un partenaire majeur en éducation et est consultée par des intervenants de toutes les sphères du milieu. Elle soutient et représente ses membres dans le cadre des travaux menés par les ministères de l'Éducation, de la Santé et des Services sociaux, du Travail et d'autres instances.

Les troubles d'apprentissage en société

L'AQETA a identifié des enjeux fondamentaux qui affectent les personnes vivant avec un ou des troubles d'apprentissage tout au long de leur vie en société. Il s'agit d'une priorité pour l'association.

La prévention

La prévention, ou «agir tôt», est la clé de la réussite dans l'amélioration des conditions initiales d'apprentissage.

L'accès aux services

Au primaire et au secondaire, l'accès aux services éducatifs est difficile et parfois inégal d'un milieu à l'autre. Au postsecondaire, les conditions d'accès aux services diffèrent et peuvent causer des préjudices. L'AQETA poursuit l'objectif de veiller à ce que les conditions de soutien soient toujours plus efficaces pour assurer une meilleure cohésion des interventions.

Le marché de l'emploi

Plusieurs personnes vivant avec un ou des troubles d'apprentissage réussissent leurs études grâce aux adaptations reconnues, mais éprouvent des difficultés à accéder au marché de l'emploi, où les adaptations sont souvent inaccessibles. L'AQETA veille, par diverses activités et représentations, à sensibiliser le marché de l'emploi.

Des activités de formation, de sensibilisation et d'information

Congrès annuel sur les difficultés et troubles d'apprentissage

L'AQETA tient un congrès annuel d'envergure internationale. Plateforme de formation continue à la fine pointe des avancées pédagogiques et de transfert des connaissances, le congrès est fréquenté par les intervenants des domaines de l'éducation et de la santé. 1850 personnes y participent chaque année. En mars 2015, nous célébrons notre 40e congrès.

Congrès annuel de l'AQETA, mars 2014

Formations, conférences et ateliers

L'AQETA tient des conférences publiques, des formations et des ateliers destinés aux parents, enfants, adultes et intervenants scolaires et de la santé. Une riche programmation est établie et se déploie tout au long de l'année, à son bureau national, dans les nombreux points de services et dans les milieux qui en font la demande.

Colloque pour parents à la rentrée scolaire

L'AQETA offre un colloque destiné spécialement aux parents. À l'image de son congrès annuel, ce rendez-vous annuel permettra de réunir en un même endroit les conférenciers les plus pertinents en matière de troubles et de difficultés d'apprentissage. Une approche totalement orientée vers les besoins des parents est privilégiée.

Colloque des parents, 2013

Pour information : www.aqeta.qc.ca.

Francis Reddy, porte-parole

Un porte-parole pour sensibiliser les divers publics

Le porte-parole de l'association est nul autre que l'acteur et animateur Francis Reddy, personnalité appréciée par le public de tout le Québec. Conscientisé au problème et très impliqué dans le parcours scolaire de ses enfants, il a développé une vision aiguisée du système d'éducation du préscolaire au postsecondaire. «Naviguer dans le système avec un jeune qui a des besoins particuliers, c'est éprouvant et pour les parents et pour les jeunes. Le rôle de l'AQETA est, entre autres, de sensibiliser le public, tous les publics y compris le personnel scolaire, mais aussi de soutenir les parents qui bataillent fort pour leur jeune. Cette mission m'a interpellé. C'est donc avec plaisir que j'ai accepté de me joindre à cet organisme pour participer à l'effort de sensibilisation.»

Partout au Québec

L'AQETA est une plateforme d'information pour tous : pour les enfants, adolescents et adultes vivant avec un ou des troubles d'apprentissage, mais aussi pour les membres de leur famille. L'association offre des services à l'échelle de la province grâce à plus de quinze points de service par l'entremise de ses sections régionales, locales et de ses regroupements. Elle y étend son action, assure la diffusion de l'information et offre des services.

- Section Montréal/Localité Saint-Léonard — Est de Montréal
- Laval
- Outaouais
- Estrie
- Québec (restructuration)
- Chaudière-Appalaches (restructuration)
- Saguenay-Lac-Saint-Jean (restructuration)
- Montérégie
- Mauricie/Centre-du-Québec
- Laurentides/Argenteuil
- Montérégie
- Des sections en formation en Gaspésie et en Abitibi-Témiscamingue

Les «dys», ou troubles spécifiques

Le trouble spécifique

Un trouble d'apprentissage est d'origine neurologique (facteur d'hérédité). Il est donc permanent et, par conséquent, dure toute la vie.

Il n'est pas...

Un handicap, une difficulté passagère, un manque de potentiel ou un manque d'effort.

Il peut...

Placer une personne en situation de handicap, impliquer d'autres troubles associés, placer l'élève à risque d'échec scolaire et nécessiter des moyens d'adaptation.

Un trouble d'apprentissage vient rarement seul. Bien souvent, d'autres troubles ou manifestations seront présents, que l'on définit par les termes «troubles concomitants». Mais attention, chaque personne est unique ; ce que l'on observe chez l'un ne sera pas nécessairement présent chez l'autre.

La dyslexie est...

Un trouble spécifique de l'apprentissage de la lecture qui affecte la capacité à identifier les mots à l'écrit.
Une difficulté du décodage des lettres en sons (eau).Une difficulté à reconnaître des parties de mots connues (tion) et des mots plus irréguliers (monsieur).
Une difficulté à lire avec fluidité, à voix haute et à accéder au sens du texte.

Autres difficultés associées possibles
Déficit d'attention, mémorisation, notions d'espace et de temps, etc.

Autres troubles concomitants possibles
Dysgraphie, dyscalculie, etc.

Indices à observer
Retard en lecture, difficulté dans les autres matières scolaires qui requièrent la lecture (anglais, géographie, histoire, etc.), difficultés persistantes malgré les interventions d'aide, difficulté à mémoriser les séquences (jours de la semaine, mois, etc.), difficulté d'organisation (matériel scolaire, plan de travail, etc.).

Manifestations
Confusions, inversions, omissions de lettres et de mots, découpage des mots en syllabes, vocabulaire pauvre, difficulté de compréhension, etc.

Interventions
Plan d'intervention précisant les moyens d'adaptation nécessaires aux apprentissages et aux évaluations ;

Programme de rééducation de la lecture entrepris le plus tôt possible et de façon régulière par un spécialiste dûment formé pour la dyslexie (orthopédagogue, orthophoniste).

La dysorthographie est...

Un trouble qui affecte l'écriture des mots.
Une difficulté à trouver les lettres pour écrire les sons, les mots.
Une difficulté à mémoriser de façon permanente les règles d'orthographe et de grammaire.
Une difficulté à structurer une phrase complète ou un texte dans une suite logique.

Indices à observer
Fautes d'orthographe, un même mot peut être écrit de façons différentes, difficulté à recopier les mots, etc.

Manifestations
Omission de lettres, de sons, de syllabes, inversion dans l'ordre des lettres, difficulté à mémoriser les différentes graphies des sons et des mots, même ceux utilisés fréquemment, lenteur d'exécution et pauvreté des productions, etc.

La dyscalculie est...

Un trouble dans l'apprentissage des notions d'arithmétique.
Une difficulté à comprendre les concepts de base.
Une difficulté à mémoriser les séquences, les tables, etc.
Une difficulté à effectuer des opérations mathématiques et à résoudre des problèmes.
Il n'y a pas de consensus unanime sur la nature de cette difficulté.

Indices à observer
Lenteur d'exécution, difficulté à effectuer des calculs mentaux, ne pas persévérer jusqu'au bout d'une procédure, etc.

Manifestations
Retard dans l'apprentissage de compter (1, 2, 3 et 10, 20, 30), confusion à voir la différence entre 40 et 400 ou à identifier plus petit, plus grand, erreur de calcul dans les additions, difficulté à additionner les colonnes , etc.

La dysphasie est...

Un trouble de la parole (langage) qui affecte l'expression et la compréhension du message.
Une difficulté à trouver le bon mot pour désigner les choses.
Une difficulté à structurer une phrase pour exprimer une pensée clairement.
L'enfant veut communiquer et exprime une frustration et une tristesse lorsqu'il n'est pas compris ou qu'il ne comprend pas ce qu'on lui demande.

Indices à observer
Retard du langage observable dès deux ans, vocabulaire pauvre, l'enfant s'isole, il pointe du doigt plutôt que de demander oralement.

Manifestations
Manque de mots dans la phrase, remplace des mots par d'autres, mais pas du même sens, mimique gestuelle, etc.

La dyspraxie est...

Un trouble neurodéveloppemental de la coordination et de la motricité qui affecte la capacité à planifier, organiser et automatiser les gestes moteurs.
Une difficulté à suivre une série de mouvements pour produire un geste, une activité. Une difficulté à savoir quoi faire et comment le faire et à réussir certaines actions. Elle n'est pas un problème d'ordre musculaire.

Indices à observer
Maladresse motrice, lenteur d'exécution, difficulté à s'habiller seul, manque d'intérêt et d'habileté en éducation physique.

Manifestations
Difficulté à tenir et à manipuler de petits objets (boutons, crayons, ciseaux), manque de fluidité dans les gestes, se cogne partout, renverse des objets, n'est pas choisi dans les équipes de sport, etc.

Les «dys»

Les «dys» peuvent avoir un impact négatif sur l'estime de soi et peuvent nécessiter un soutien afin d'éviter de mener au découragement ou à la dépression. Ils peuvent affecter la vie quotidienne à l'école, au travail, avec la famille, dans les loisirs et avec les amis.

Le dépistage, la prévention, l'identification, la rééducation et les adaptations contribuent aux apprentissages.

Rendez VOUS

LA RÉFÉRENCE EN MATIÈRE DE TROUBLE D'APPRENTISSAGE
MARS 2012 • VOLUME 26 • N° 01

APPRENDRE TOUT COURT !

aqeta
Association québécoise des
troubles d'apprentissage

Rendez VOUS

MARS 2013 • VOLUME 27 • N° 01

DIFFICULTÉS D'APPRENTISSAGE

*« ...la conviction profonde que
la personne est capable d'apprendre... »*

aqeta
Association québécoise des
troubles d'apprentissage

Labyrinthe

Trouve le chemin entre Émilie et ses fleurs.

OK

**Habiletés
pratiquées**

repérage visuel
coordination œil/main
orientation spatiale
anticipation des actions à accomplir (fonctions exécutives)

Mot dans l'ombre

Inscris dans la grille le mot correspondant aux définitions. La première lettre de chaque mot compose la solution. Utilise l'indice pour t'aider.

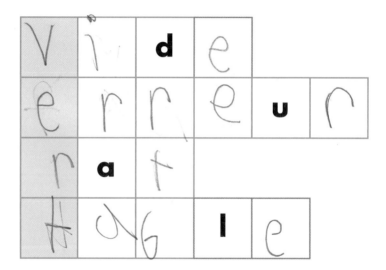

indice: **couleur**

1 qui ne contient rien
2 faute
3 rongeur très nuisible
4 meuble

Bingo

Trouve la ligne gagnante. Pour chaque jeton, encercle le numéro sur ta carte s'il s'y trouve. La case du centre est gratuite, encercle-la tout de suite. Quand tu as rempli toute une ligne, tu peux crier BINGO !

OK

B 11	N 44	O 73	N 33	N 45	I 21	I 28	N 32
I 23	N 38	B 4	N 31	I 30	G 54	B 7	I 22
G 46	B 10	O 74	N 41	N 37	G 51	N 43	G 60
N 34	O 66	N 35	N 36	G 59	B 14	G 55	B 9
G 58	B 3	B 1	O 71	O 68	I 19	G 49	B 8

bingo

B	I	N	G	O
14	16	36	47	71
9	27	31	57	64
13	26	★	52	66
11	23	45	60	67
15	20	43	51	73

Habiletés pratiquées

repérage visuel
connaissance des nombres

Bourrasque de mots

Replace les lettres dans le bon ordre pour former des mots.

s n o v r e c e

_ _ _ _ _ _ **v** _

e c u r t e l

_ _ _ _ **U** _ _

s t p i a n

_ _ **t** _ _ _

t r e n i n e t

_ _ _ _ **r** _ _ _

**Habiletés
pratiquées**

vocabulaire
orthographe
séquence des lettres pour former les mots et des syllabes
connaissance des particularités orthographiques
(accents, lettres doubles, lettres muettes...)

Point en point

En commençant par l'étoile, relie chaque point,
du plus petit au plus grand, pour terminer le dessin.
Ensuite, mets de la couleur.

OK

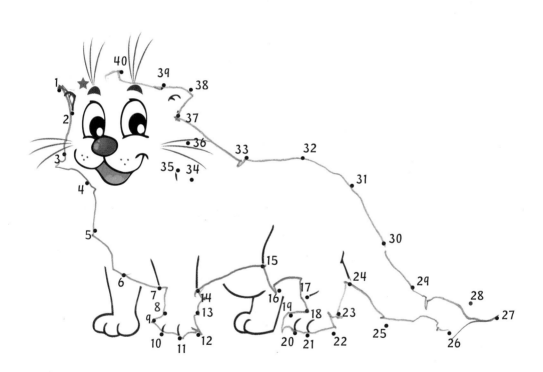

Sudoku dessins

Remplis la grille avec les dessins en respectant 3 règles:
1 - Chaque case doit contenir un dessin.
2 - Tous les dessins doivent se retrouver dans chaque colonne, rangée ou encadré.
3 - Aucun dessin ne doit se répéter dans une même colonne, rangée ou encadré.

OK

Le serrurier

Complète les additions et les soustractions
et relie chaque cadenas à la clé qui
contient le nombre manquant.

Jeu
13

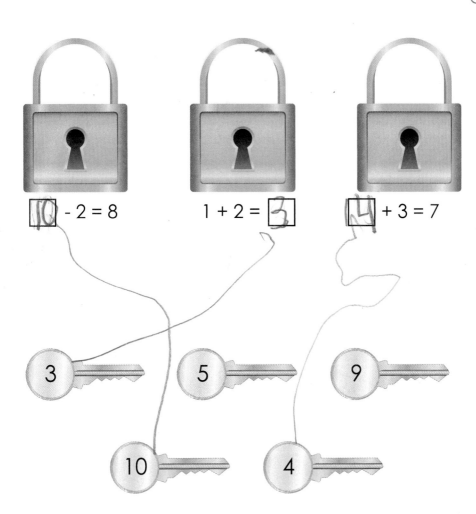

10 - 2 = 8

1 + 2 = 3

4 + 3 = 7

3

5

9

10

4

Symétrie

Complète le dessin et colorie-le.

25-08
Pierre 1

D K

**Habiletés
pratiquées**

observation
coordination œil/main
motricité fine (mains)
orientation visuo-spatiale

bien

OK

Pet it ch aton, je t'aime.

Ton poil est d oux. Te s

moustaches me

chatouillent. Ta queue

est longue et forte. Fais

un beau dodo.

reconnaissance des mots, des syllabes et des lettres
forme visuelle des mots, des syllabes et des lettres
découpage du mot
anticipation selon le contexte
repérage visuel

**Habiletés
pratiquées**

Jeu 15
Découvre le mot
Trouve le mot en observant son contour
et en t'aidant avec sa définition.

bravo

OK

1. **choten**

   bébé chat

2. **crayon**

   on s'en sert pour écrire

3. **lune**

   éclaire la nuit

observation de la forme des lettres et du contour du mot
connaissances des particularités orthographiques
(accents, lettres doubles, lettres muettes...)
orthographe
vocabulaire
repérage visuel
séquence de lettres

letés
quées

Le petit train

Encercle la lettre inscrite sur la locomotive dans les mots du train. La lettre peut se trouver plus d'une fois dans le même mot.

bravo ♡

OK

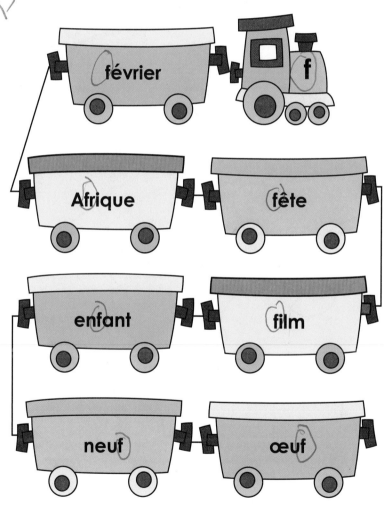

février   f

Afrique   fête

enfant   film

neuf   œuf

observation
coordination œil/main
vocabulaire
orthographe
repérage visuel
discrimination visuelle

Habiletés pratiquées

Tornade de lettres

Suis le chemin pour placer chaque lettre au bon endroit et former un mot.

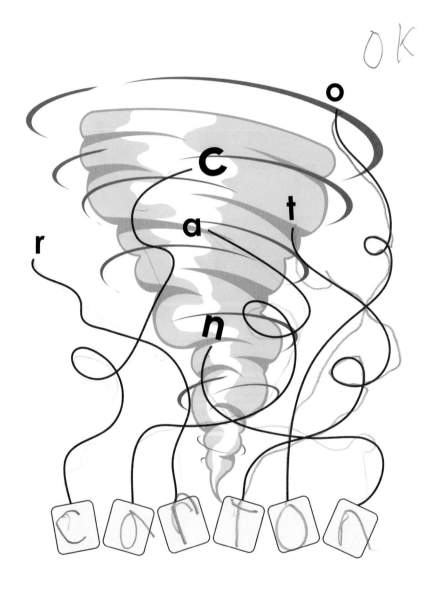

La suite

Observe bien la suite. Complète la colonne
en encerclant le dessin manquant.

Jeu
18

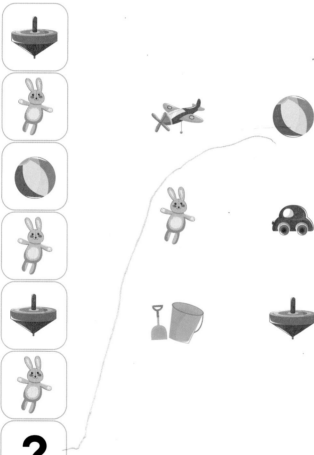

6 erreurs

Observe bien ces deux images
et trouve les six différences.

Labyrinthe

Trouve le chemin entre Alex et ses bonbons.

Habiletés pratiquées

repérage visuel
coordination œil/main
orientation spatiale
anticipation des actions à accomplir (fonctions exécutives)

Mot dans l'ombre

Inscris dans la grille le mot correspondant aux définitions. La première lettre de chaque mot compose la solution. Utilise l'indice pour t'aider.

25-08
Pierre 2

OK

1	S	o	l	o		
2	o	u	b	l	i	
3	i	s	o	l	e	r
4	r	o	b	o	t	

indice: **fin du jour**

1 spectacle d'une seule personne
2 perte de mémoire
3 mettre à l'écart
4 machine

ç n e l o

_ _ **ç** _ _

ê n t e r f e

f _ _ _ _ _ _

s n i u o c s

_ _ _ _ _ **i** _

t o m n r e

_ _ **n** _ _

Point en point

En commençant par l'étoile, relie chaque point,
du plus petit au plus grand, pour terminer le dessin.
Ensuite, mets de la couleur.

OK

**Habiletés
pratiquées**

numération (ordre des nombres)
coordination motrice
pour le plaisir de s'amuser !

Sudoku dessins

Remplis la grille avec les dessins en respectant 3 règles :
1 - Chaque case doit contenir un dessin.
2 - Tous les dessins doivent se retrouver dans chaque colonne, rangée ou encadré.
3 - Aucun dessin ne doit se répéter dans une même colonne, rangée ou encadré.

OK

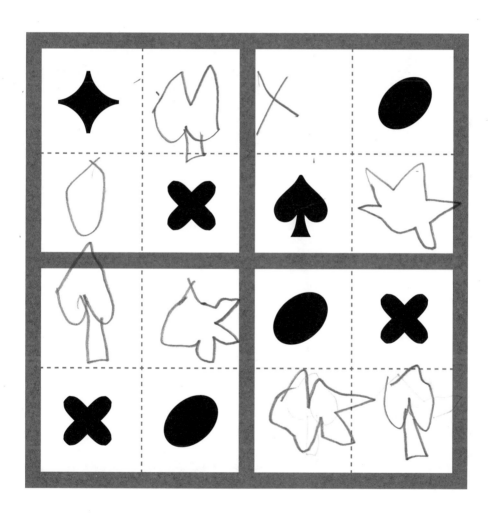

Habiletés pratiquées

observation
logique
orientation spatiale
anticipation des actions à accomplir (fonctions exécutives)

L'artiste

Reproduis le dessin à l'intérieur du cadre.

OK

Habiletés pratiquées

observation
coordination œil/main
motricité fine (mains)
orientation visuo-spatiale

Mots cachés

Trouve les mots de la liste dans la grille et encercle-les. Les lettres restantes forment la solution.

25-8

Pierre 4

Gros Bravo!

E	V	I	H	C	T	I	L
S	N	C	E	L	U	I	C
I	I	A	A	T	B	D	A
X	S	M	E	R	A	N	L
I	P	S	A	C	E	U	M
E	T	I	U	I	O	L	E
M	R	T	R	A	I	N	E
E	R	I	R	E	L	E	C

a	l	r
aussi	lampe	rien
c	libraire	s
calme	litchi	sixième
céleri	lundi	t
celui	o	train
e	océan	
étau		

mot de 6 lettres :  évite

Habiletés pratiquées

vocabulaire
orthographe
repérage visuel
connaissance des particularités orthographiques
(lettres doubles, lettres muettes...)

Traducteur

À l'aide de la liste de mots, écris sous chaque image le mot anglais qui lui correspond.

vegetable

onion   carrot

radish   corn

1 _ a _ _ o _

2 _ o _ _

3 _ _ i _ _

4 _ _ d _ _ h

**Habiletés
pratiquées**

motricité fine (mains)
créativité
pour le plaisir de s'amuser !

L'heure

Relis par un trait les deux horloges qui affichent la même heure.

Code secret

Trouve chaque lettre à partir du code secret
et découvre la phrase cachée. N'oublie pas
de mettre une lettre majuscule au début de
la phrase et des noms propres.

= a = b = c = d = e = f

= g = h = i = j = k = l

= m = n = o = p = q = r

= s = t = u = v = w = x

= y = z

Le serrurier

Complète les additions et les soustractions et relie chaque cadenas à la clé qui contient le nombre manquant.

9 - ☐ = 4   ☐ - 4 = 2   8 + 2 = ☐

 6    10    2

 8    5

Habiletés pratiquées

opérations mathématiques : additions et soustractions
calcul mental

Symétrie

Complète le dessin et colorie-le.

Habiletés pratiquées

observation
coordination œil/main
motricité fine (mains)
orientation visuo-spatiale

Découvre le mot

Trouve le mot en observant son contour
et en t'aidant avec sa définition.

1

se faire mal

2

pour lire

3

père, mère, frère, sœur,
grand-père...

observation de la forme des lettres et du contour du mot
connaissances des particularités orthographiques
(accents, lettres doubles, lettres muettes...)
orthographe
vocabulaire
repérage visuel
séquence de lettres

**Habiletés
pratiquées**

Le petit train

Encercle la lettre inscrite sur la locomotive dans les mots du train. La lettre peut se trouver plus d'une fois dans le même mot.

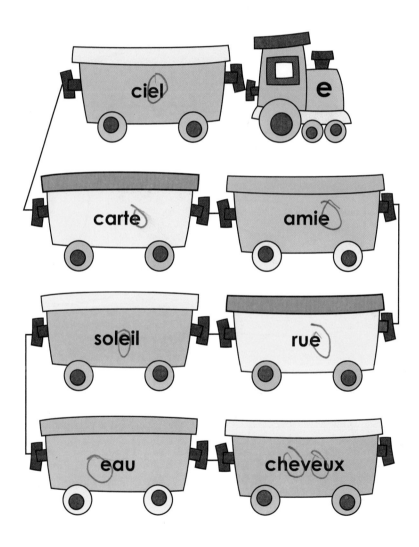

ciel
e
carte
amie
soleil
rue
eau
cheveux

observation
coordination œil/main
vocabulaire
orthographe
repérage visuel
discrimination visuelle

Habiletés pratiquées

Tornade de lettres

Suis le chemin pour placer chaque lettre
au bon endroit et former un mot.

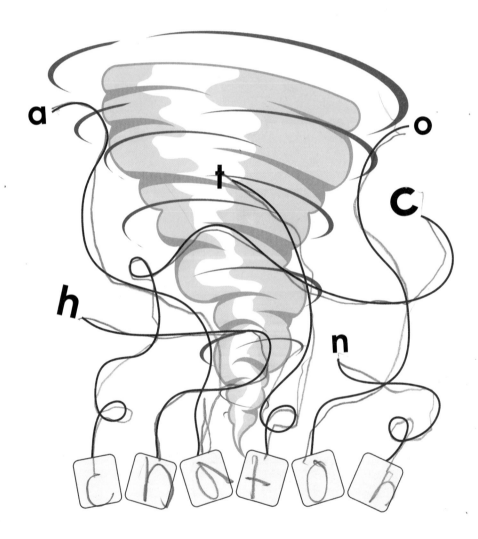

Le bon son

Dans les mots soulignés, un son a été changé. Trouve les bons mots et lis l'histoire.

Le prince Julien vit dans un grand gâteau.

Tous les matins, il aime manger du pain

avec de la confiture de braises. Il adore

le goût que cela fait dans sa douche.

Mais ce matin, la cuisinière lui a servi un

sol de céréales, beurk! Heureusement,

il a trouvé un beau gros morceau de

château pour son déjeuner.

Réponse

gâteau → château
bain → pain
braises → fraises
douche → bouche
sol → bol
château → gâteau

Habiletés pratiquées

reconnaissance des mots, des syllabes et des lettres
anticipation selon le contexte
repérage visuel
conscience phonologique (isoler un son, substituer les sons)

La suite

Observe bien la suite. Complète la colonne en encerclant le dessin manquant.

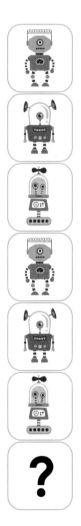

Habiletés pratiquées

observation
séquence des images pour former des suites
mémoire visuelle

Mots à découvrir

Écris le mot correspondant à chaque image. Transcris la lettre pointée par la flèche pour trouver la solution.

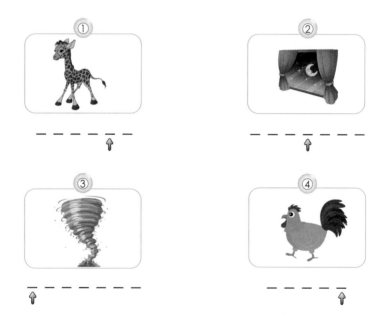

①   _ _ _ _ _
⬆

②   _ _ _ _ _ _
⬆

③   _ _ _ _ _ _
⬆

④   _ _ _ _
⬆

_ _ _ _
1 2 3 4

a

b
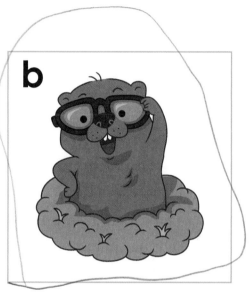

c

d

Habiletés pratiquées

mémoire visuelle
discrimination visuelle
sens de l'obsevation et du détail

Parfaite orthographe

Découvre quel mot est bien écrit
dans chaque liste de mots.

1
- ○ lapen
- ○ lappin
- ○ lapin

2
- ○ lyon
- ○ lion
- ○ lillon

**Habiletés
pratiquées**

orthographe
connaissance des particularités orthographiques
(accents, lettres doubles, lettres muettes...)
décodage (son des lettres)
vocabulaire

mcdamrdrdmmémd ....

cmdemmdrdcmdle ....

dmétdomdidmldme ....

rdedcdtamndgmled ....

mmdcmomedmurm ....

mpdedndtagdonme ....

Labyrinthe

Trouve le chemin entre Béatrice et sa poupée.

Bravo ! du premier coup.
Pierre

**Habiletés
pratiquées**

repérage visuel
coordination œil/main
orientation spatiale
anticipation des actions à accomplir (fonctions exécutives)

c a é n r

_ _ _ a _

u o r e

_ _ U _

l é c i h e

_ é _ _ _ _

a m e l a d

_ _ l _ _ e

Habiletés pratiquées

vocabulaire
orthographe
séquence des lettres pour former les mots et des syllabes
connaissance des particularités orthographiques
(accents, lettres doubles, lettres muettes...)

Point en point

En commençant par l'étoile, relie chaque point,
du plus petit au plus grand, pour terminer le dessin.
Ensuite, mets de la couleur.

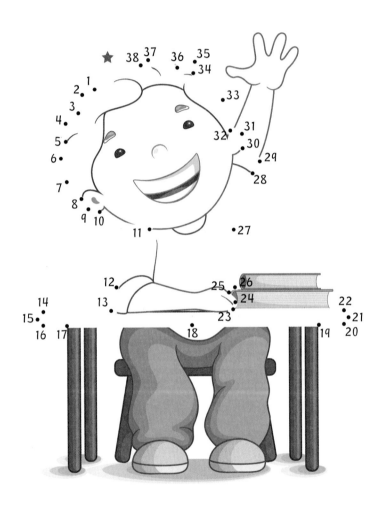

**Habiletés
pratiquées**

numération (ordre des nombres)
coordination motrice
pour le plaisir de s'amuser !

Sudoku dessins

Remplis la grille avec les dessins en respectant 3 règles :
1 - Chaque case doit contenir un dessin.
2 - Tous les dessins doivent se retrouver dans chaque colonne, rangée ou encadré.
3 - Aucun dessin ne doit se répéter dans une même colonne, rangée ou encadré.

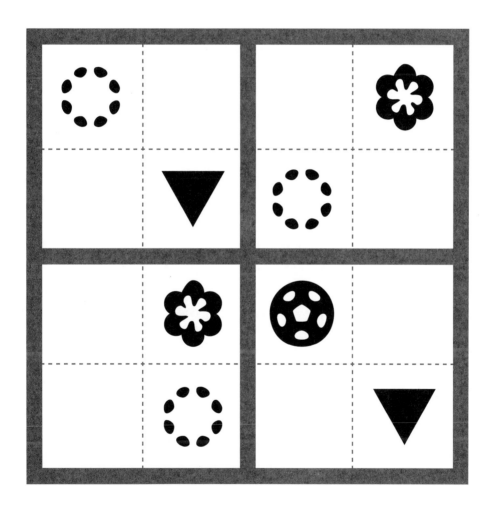

Habiletés pratiquées

observation
logique
orientation spatiale
anticipation des actions à accomplir (fonctions exécutives)

Conscience phonémique

Compte les sons du mot illustré.
Colorie le nombre correspondant
de cercles dans l'encadré.

sel

balai

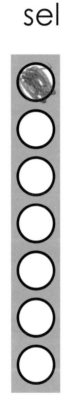

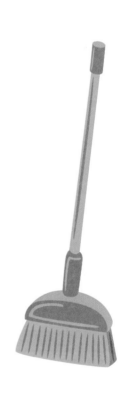

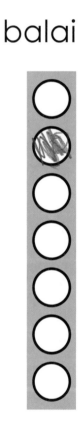

Habiletés pratiquées

séquence des sons dans les mots (segmentation phonémique)
reconnaissance d'un son particulier dans un mot
(isolement phonémique)

L'artiste

Reproduis le dessin à l'intérieur du cadre.

Habiletés pratiquées

observation
coordination œil/main
motricité fine (mains)
orientation visuo-spatiale

Mots cachés

Trouve les mots de la liste dans la grille et encercle-les. Les lettres restantes forment la solution.

T, Bière

coco

c	m	o
céréale	mariage	objet
g	misère	ouate
gecko	n	s
k	naître	soccer
kayak	narval	t
	nulle	total

mot de 6 lettres : vendre

vocabulaire
orthographe
repérage visuel
connaissance des particularités orthographiques
(lettres doubles, lettres muettes...)

Habiletés pratiquées

Traducteur

À l'aide de la liste de mots, écris sous chaque image le mot anglais qui lui correspond.

Jeu
59

fruits

pineapple   lemon
grape   strawberry

1 _ _ a _ _

2 _ _ r _ _ _ _ r _ _

3 _ e _ _ _

4 p _ n _ _ _ _ e

Dessin à colorier

Laisse l'artiste en toi s'amuser à mettre de la couleur.

**Habiletés
pratiquées**

motricité fine (mains)
créativité
pour le plaisir de s'amuser!

L'heure

Relis par un trait les deux horloges qui affichent la même heure.

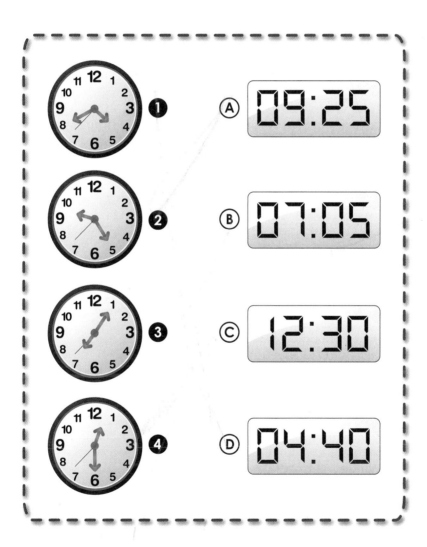

Code secret

Trouve chaque lettre à partir du code secret et découvre la phrase cachée. N'oublie pas de mettre une lettre majuscule au début de la phrase et des noms propres.

= a = b = c = d = e = f

= g = h = i = j = k = l

= m = n = o = p = q = r

= s = t = u = v = w = x

= y = z

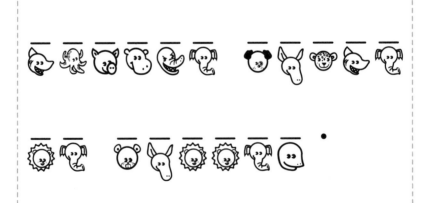

Habiletés pratiquées

repérage visuel
mémoire visuelle
vocabulaire
orthographe
syntaxe de la phrase

Le serrurier

Complète les additions et les soustractions et relie chaque cadenas à la clé qui contient le nombre manquant.

Jeu
63

$4 + \boxed{} = 12$

$\boxed{} - 6 = 3$

$5 - 4 = \boxed{}$

8

9

5

1

9

Symétrie

Complète le dessin et colorie-le.

**Habiletés
pratiquées**

observation
coordination œil/main
motricité fine (mains)
orientation visuo-spatiale

Découvre le mot

Trouve le mot en observant son contour
et en t'aidant avec sa définition.

Jeu
65

1

ça pique

2

les feuilles changent de couleur

3

ça me fait rire

observation de la forme des lettres et du contour du mot
connaissances des particularités orthographiques
(accents, lettres doubles, lettres muettes...)
orthographe
vocabulaire
repérage visuel
séquence de lettres

**Habiletés
pratiquées**

Le petit train

Encercle la lettre inscrite sur la locomotive dans les mots du train. La lettre peut se trouver plus d'une fois dans le même mot.

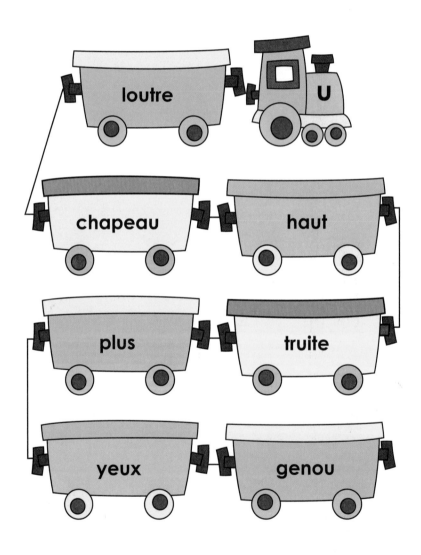

Habiletés pratiquées

observation
coordination œil/main
vocabulaire
orthographe
repérage visuel
discrimination visuelle

Tornade de lettres

Suis le chemin pour placer chaque lettre
au bon endroit et former un mot.

Jeu
67

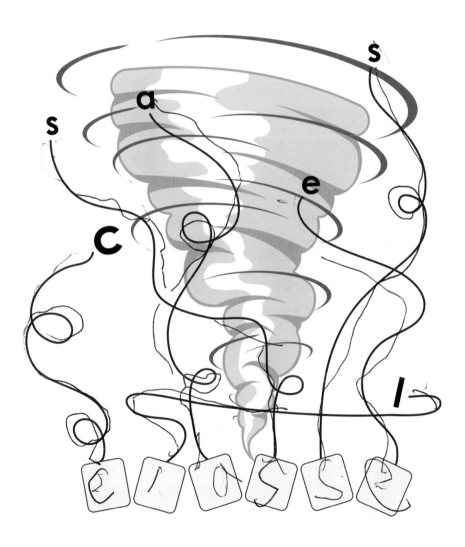

La suite

Observe bien la suite. Complète la colonne en encerclant le dessin manquant.

6 erreurs

Observe bien ces deux images
et trouve les six différences.

Mots à découvrir

Écris le mot correspondant à chaque image. Transcris la lettre pointée par la flèche pour trouver la solution.

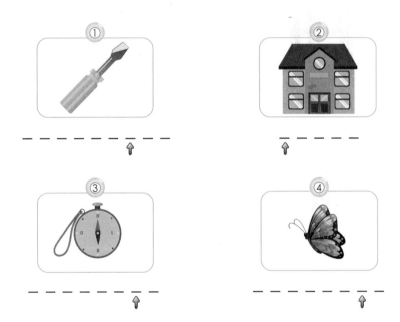

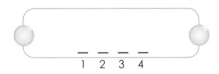

1 2 3 4

**Habiletés
pratiquées**

vocabulaire
orthographe
connaissance des particularités orthographiques
(accents, lettres doubles, lettres muettes...)

Conscience phonémique

jeu bonus

Compte les sons du mot illustré.
Colorie le nombre correspondant
de cercles dans l'encadré.

ananas

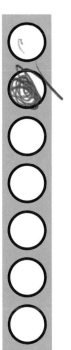

chevalet

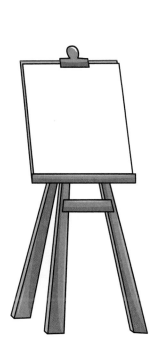

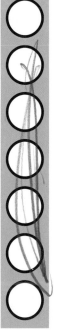

Habiletés pratiquées

séquence des sons dans les mots (segmentation phonémique)
reconnaissance d'un son particulier dans un mot
(isolement phonémique)

Les ensembles

Ajoute les dessins manquants dans chaque bulle pour arriver au nombre indiqué.

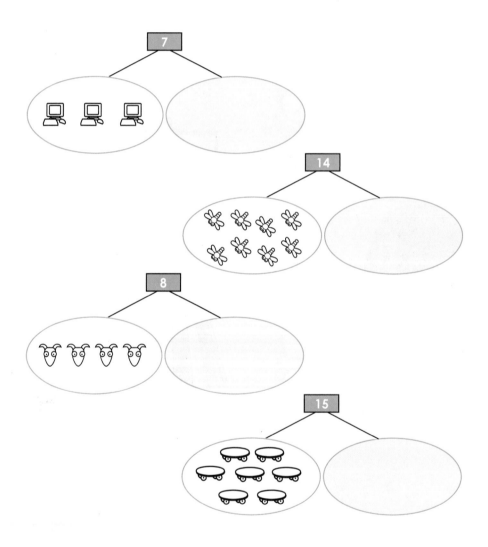

L'intrus

Trouve le mot qui ne va pas avec les autres mots de la liste.

Jeu
72

chapeau

soulier

casquette

tuque

L'unique

Trouve le dessin qui est différent des autres.

a

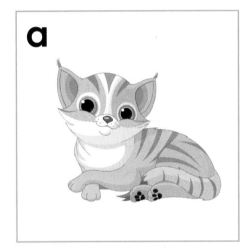

b

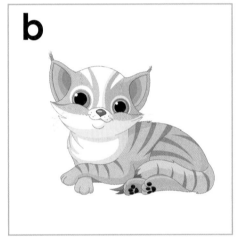

c

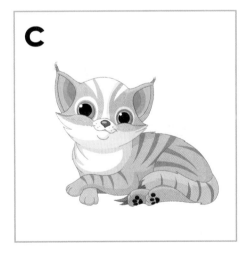

d

1
- ○ cerises
- ○ serises
- ○ cerizes

2
- ○ mellon
- ○ melhon
- ○ melon

Habiletés pratiquées

orthographe
connaissance des particularités orthographiques
(accents, lettres doubles, lettres muettes...)
décodage (son des lettres)
vocabulaire

L'imposteur

Élimine les lettres f et b.
Tu découvriras six animaux.

fbsbebrpbfbefnfbftf ....

bcfobchbfobbfnfb ....

pfofbfissfbofbfn ....

fbfhabfmfbstfbefrb ....

fbrfbfbefnbafbfrfd ....

bfpbfefrbrfubfcfhe ....

**Habiletés
pratiquées**

repérage visuel
discrimination visuelle
observation
vocabulaire
orthographe
séquence des lettres

Labyrinthe

Trouve le chemin entre le lion
et le cerceau enflammé.

repérage visuel
coordination œil/main
orientation spatiale
anticipation des actions à accomplir (fonctions exécutives)

Mot dans l'ombre

Inscris dans la grille le mot correspondant aux définitions. La première lettre de chaque mot compose la solution. Utilise l'indice pour t'aider.

1	c	h	i	e	n
2	h	e	u	r	e
3	o	i	s	e	a	u
4	u	s	i	n	e

indice : **légume**

1 animal qui jappe
2 60 minutes
3 animal qui vole
4 lieu où on fabrique des objets

Trouve la ligne gagnante. Pour chaque jeton, encercle le numéro sur ta carte s'il s'y trouve. La case du centre est gratuite, encercle-la tout de suite. Quand tu as rempli toute une ligne, tu peux crier BINGO !

N 37	N 38	I 25	G 53	N 32	B 2	G 50	B 4
B 11	G 55	I 17	G 57	I 16	O 74	I 30	B 15
N 34	I 19	N 44	I 27	O 67	N 31	N 36	B 3
B 13	G 60	I 24	O 69	B 14	O 62	G 52	N 41
N 42	G 56	N 45	I 18	I 23	B 5	I 28	I 21

bingo

B	I	N	G	O
12	29	41	55	61
7	23	40	57	68
6	17	★	52	75
8	26	45	50	65
10	27	36	53	66

Bourrasque de mots

Replace les lettres dans le bon ordre pour former des mots.

trate

_ _ _ _ e

gsièe

_ _ è _ _

deuogr

g _ _ _ _ _

nércatoi

_ _ _ c _ _ _ _

vocabulaire
orthographe
séquence des lettres pour former les mots et des syllabes
connaissance des particularités orthographiques
(accents, lettres doubles, lettres muettes...)

Point en point

En commençant par l'étoile, relie chaque point, du plus petit au plus grand, pour terminer le dessin. Ensuite, mets de la couleur.

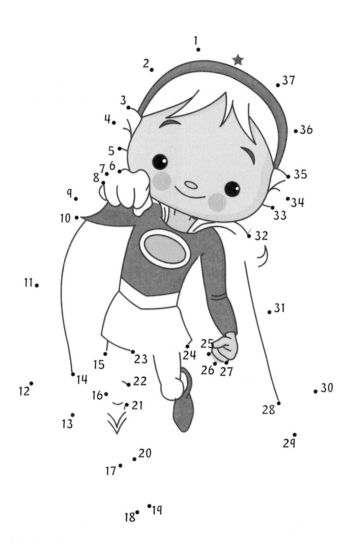

Habiletés pratiquées

numération (ordre des nombres)
coordination motrice
pour le plaisir de s'amuser !

Sudoku dessins

Remplis la grille avec les dessins en respectant 3 règles:
1 - Chaque case doit contenir un dessin.
2 - Tous les dessins doivent se retrouver dans chaque colonne, rangée ou encadré.
3 - Aucun dessin ne doit se répéter dans une même colonne, rangée ou encadré.

L'artiste

Reproduis le dessin à l'intérieur du cadre.

Habiletés pratiquées

observation
coordination œil/main
motricité fine (mains)
orientation visuo-spatiale

Mots cachés

Trouve les mots de la liste dans la grille et encercle-les. Les lettres restantes forment la solution.

T	T	T	R	Y	R	R	R
R	A	E	A	E	E	I	E
E	C	C	H	M	R	L	I
V	H	C	P	C	I	I	R
T	E	L	E	T	R	A	T
P	I	N	U	C	U	A	E
R	E	N	F	A	N	T	E
N	T	N	E	S	E	R	P

a	r	v
archet	remplir	vert
aucun	t	y
e	tache	yacht
enfant	tarte	
étrier	tirer	
p	u	
pêcher	utile	
présent		

mot de 4 lettres : _____

Traducteur

À l'aide de la liste de mots, écris sous chaque image le mot anglais qui lui correspond.

holidays

Christmas   Valentine's day
Easter   Thanksgiving

1. thanksgiving

2. christmas

3. valentine'sday

4. easter

Habiletés pratiquées
vocabulaire de l'anglais, langue seconde
orthographe de l'anglais, langue seconde

Dessine des images
dont le mot commence par le son...

Dessine des objets dont le nom commence par le son de la lettre écrite au-dessus de l'encadré.

a

f

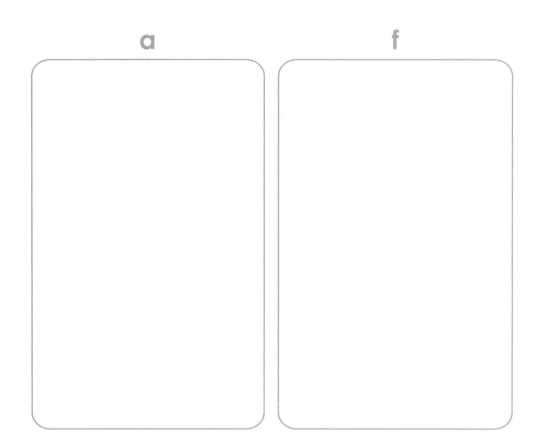

Réponse

exemples pour le son a: avion, animal, araignée, ami, etc.
exemples pour le son f: feu, fleur, fourmi, farine, etc.

Habiletés pratiquées

vocabulaire
connaissance du son des lettres (conversion lettre → son)
isoler le premier son des mots (isolement phonémique)

Dessin à colorier

Laisse l'artiste en toi s'amuser à mettre de la couleur.

Habiletés pratiquées

motricité fine (mains)
créativité
pour le plaisir de s'amuser!

L'heure

Relis par un trait les deux horloges qui affichent la même heure.

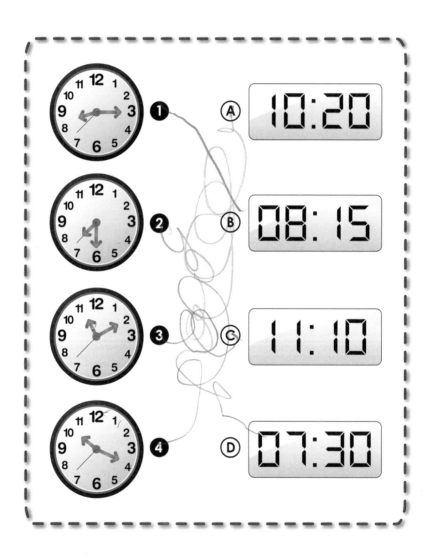

Code secret

Trouve chaque lettre à partir du code secret et découvre la phrase cachée. N'oublie pas de mettre une lettre majuscule au début de la phrase et des noms propres.

= a   = b   = c   = d   = e   = f

= g   = h   = i   = j   = k   = l

= m   = n   = o   = p   = q   = r

= s   = t   = u   = v   = w   = x

= y   = z

Habiletés pratiquées

repérage visuel
mémoire visuelle
vocabulaire
orthographe
syntaxe de la phrase

Le serrurier

Complète les additions et les soustractions
et relie chaque cadenas à la clé qui
contient le nombre manquant.

7 + 3 = ☐

6 + 6 = ☐

18 - 11 = ☐

12

7

10

3

1

Symétrie

Complète le dessin et colorie-le.

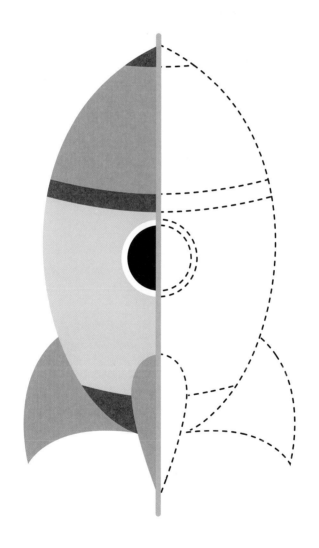

Habiletés pratiquées

observation
coordination œil/main
motricité fine (mains)
orientation visuo-spatiale

Découvre le mot

Trouve le mot en observant son contour
et en t'aidant avec sa définition.

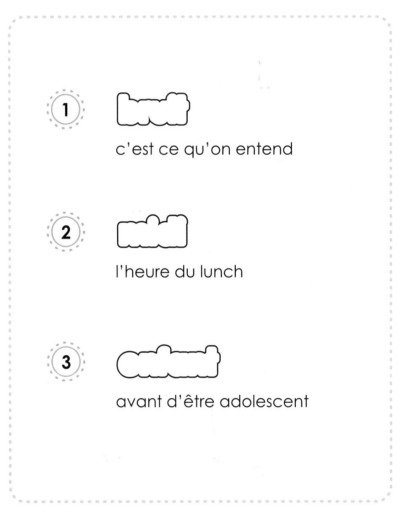

1 c'est ce qu'on entend

2 l'heure du lunch

3 avant d'être adolescent

observation de la forme des lettres et du contour du mot
connaissances des particularités orthographiques
(accents, lettres doubles, lettres muettes...)
orthographe
vocabulaire
repérage visuel
séquence de lettres

**Habiletés
pratiquées**

Le petit train

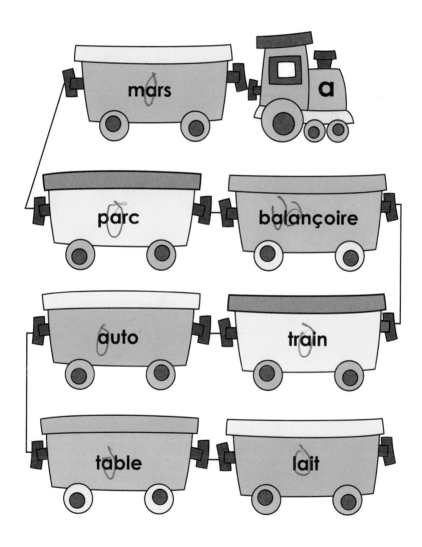

Encercle la lettre inscrite sur la locomotive dans les mots du train. La lettre peut se trouver plus d'une fois dans le même mot.

mars

a

parc

balançoire

auto

train

table

lait

observation
coordination œil/main
vocabulaire
orthographe
repérage visuel
discrimination visuelle

Habiletés
pratiquées

Tornade de lettres

Suis le chemin pour placer chaque lettre au bon endroit et former un mot.

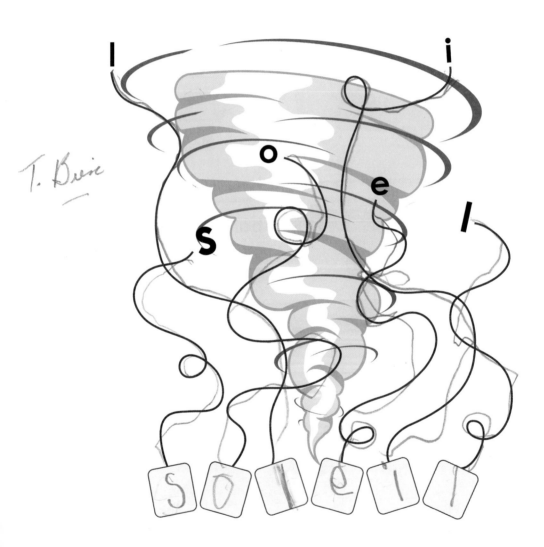

La suite

Observe bien la suite. Complète la colonne
en encerclant le dessin manquant.

Jeu
93

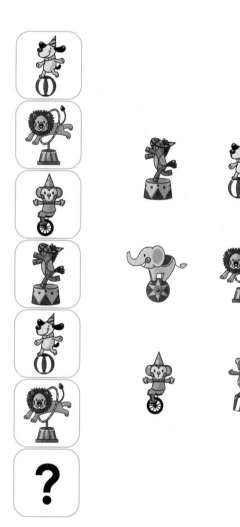

6 erreurs

Observe bien ces deux images
et trouve les six différences.

Bravo

coco

Mots à découvrir

Écris le mot correspondant à chaque image. Transcris la lettre pointée par la flèche pour trouver la solution.

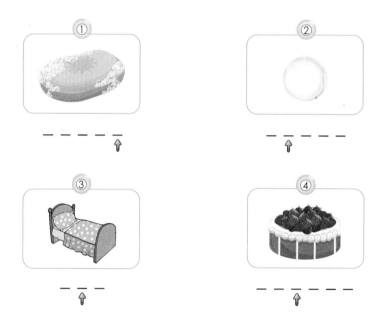

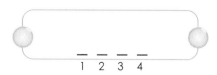

vocabulaire
orthographe
connaissance des particularités orthographiques
(accents, lettres doubles, lettres muettes...)

Les ensembles

Ajoute les dessins manquants
dans chaque bulle pour arriver
au nombre indiqué.

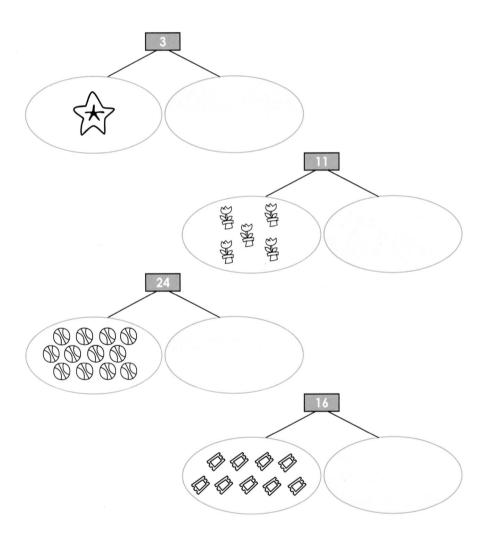

dénombrement
opérations mathématiques : additions

L'intrus

Trouve le mot qui ne va pas avec les autres mots de la liste.

Jeu
97

lune   monstre

montagne   forêt

L'unique

Trouve le dessin qui est différent des autres.

a

b

c

d

Dessine des images

dont le mot commence par le son...

Dessine des objets dont le nom se termine par le son de la lettre écrite au-dessus de l'encadré.

l

p

Habiletés pratiquées

vocabulaire
connaissance du son des lettres (conversion lettre → son)
isoler le premier son des mots (isolement phonémique)

Parfaite orthographe

Découvre quel mot est bien écrit
dans chaque liste de mots.

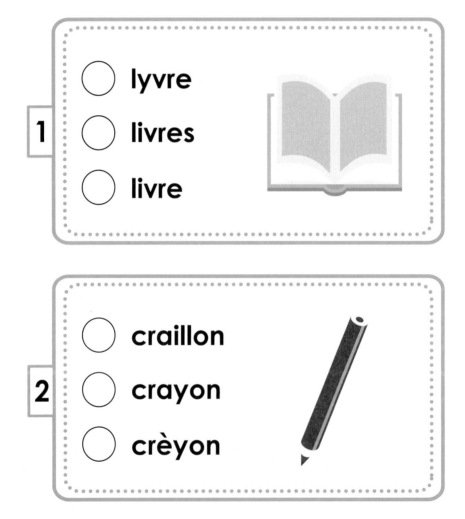

1
- ○ lyvre
- ○ livres
- ○ livre

2
- ○ craillon
- ○ crayon
- ○ crèyon

**Habiletés
pratiquées**

orthographe
connaissance des particularités orthographiques
(accents, lettres doubles, lettres muettes...)
décodage (son des lettres)
vocabulaire

kgcoukgkrgkigkr ....

dgkakgknksgker ....

kgkcghakngtkegr ....

kjkgogkukgkekgr ....

mgkakrgkcgkhger ....

kgksgagkuktkekrg ....

Labyrinthe

Trouve le chemin entre l'émeu et son nid.

**Habiletés
pratiquées**

repérage visuel
coordination œil/main
orientation spatiale
anticipation des actions à accomplir (fonctions exécutives)

e é u c t o r

_ **c** _ _ _ _ _

c a n r e

_ _ _ **r** _

é l a v e l

_ _ _ **l** _ _

i r g a n

_ _ _ **i** _

**Habiletés
pratiquées**

vocabulaire
orthographe
séquence des lettres pour former les mots et des syllabes
connaissance des particularités orthographiques
(accents, lettres doubles, lettres muettes...)

Point en point

En commençant par l'étoile, relie chaque point,
du plus petit au plus grand, pour terminer le dessin.
Ensuite, mets de la couleur.

numération (ordre des nombres)
coordination motrice
pour le plaisir de s'amuser!

Sudoku dessins

Remplis la grille avec les dessins en respectant 3 règles:
1 - Chaque case doit contenir un dessin.
2 - Tous les dessins doivent se retrouver dans chaque colonne, rangée ou encadré.
3 - Aucun dessin ne doit se répéter dans une même colonne, rangée ou encadré.

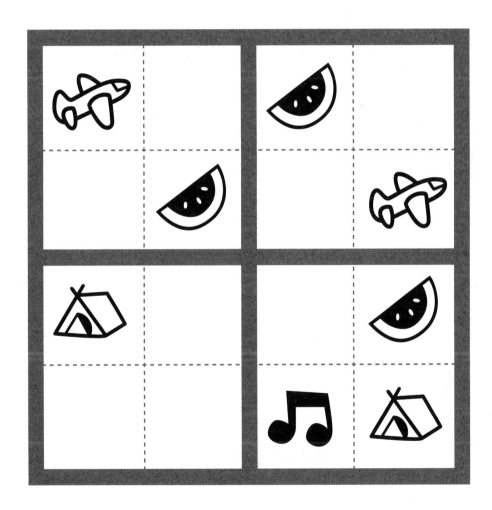

L'artiste

Reproduis le dessin à l'intérieur du cadre.

Habiletés pratiquées

observation
coordination œil/main
motricité fine (mains)
orientation visuo-spatiale

Mots cachés

Trouve les mots de la liste dans la grille et encercle-les. Les lettres restantes forment la solution.

R	I	R	U	O	M	A	E
C	G	F	T	A	R	G	F
N	L	A	E	G	E	I	F
A	O	O	E	R	R	V	E
L	O	N	C	A	M	R	T
B	T	U	T	H	R	E	E
A	S	E	R	V	E	U	R
V	E	D	E	T	T	E	U

a
argent
b
blanc
c
cloche
e
effet

f
fermer
g
givre
i
igloo
m
mourir

s
serveur
t
tarif
v
veau
vedette

mot de 7 lettres : _____

vocabulaire
orthographe
repérage visuel
connaissance des particularités orthographiques
(lettres doubles, lettres muettes...)

**Habiletés
pratiquées**

Traducteur

À l'aide de la liste de mots, écris sous chaque image le mot anglais qui lui correspond.

seasons

spring   winter
fall   summer

1. _ _ l _

2. s _ _ _ e _

3. _ i _ t _ _

4. _ r _ n _

Code secret

Trouve chaque lettre à partir du code secret et découvre la phrase cachée. N'oublie pas de mettre une lettre majuscule au début de la phrase et des noms propres.

= a = b = c = d = e = f

= g = h = i = j = k = l

= m = n = o = p = q = r

= s = t = u = v = w = x

= y = z

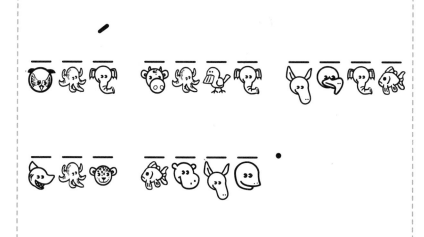

Habiletés pratiquées

repérage visuel
mémoire visuelle
vocabulaire
orthographe
syntaxe de la phrase

Alphabet

Voici l'ensemble des lettres de l'alphabet. Lis-les et entoure les lettres selon l'ordre de l'alphabet. Tu ne peux pas revenir en arrière.

c - g - a - t - r - b - w - k -

c - d - o - q - e - l - p - f -

g - x - v - h - s - u - i - z - j

- e - a - k - n - c - l - s - m

- u - n - d - a - o - w - p -

i - l - q - h - r - o - y - f - s

- b - j - t - w - u - l - a - v

- w - e - i - x - y - m - z

Réponse

c - g - a - t - r - b - w - k - c - d - o - q - e - l - p - f - g - x - v - h - s - u - i - z - j - e - a - k - n - c - l - s - m - u - n - d - a - o - w - p - i - l - q - h - r - o - y - f - s - b - j - t - w - u - l - a - v - w - e - i - x - y - m - z

Habiletés
pratiquées

repérage visuel
reconnaissance des lettres
capacité d'attention

Le serrurier

Complète les additions et les soustractions et relie chaque cadenas à la clé qui contient le nombre manquant.

15 - ☐ = 1 ☐ + 2 = 10 8 - 3 = ☐

Symétrie

Complète le dessin et colorie-le.

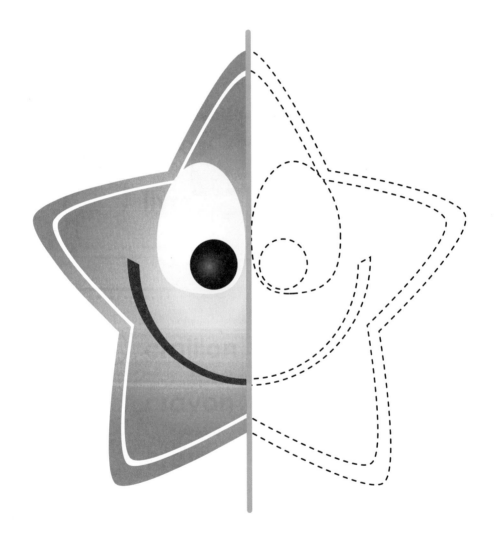

Habiletés pratiquées

observation
coordination œil/main
motricité fine (mains)
orientation visuo-spatiale

Découvre le mot

Trouve le mot en observant son contour et en t'aidant avec sa définition.

Jeu
115

1

vogue sur l'eau

2

c'est rond et ça roule

3

ça pousse dans les arbres

observation de la forme des lettres et du contour du mot
connaissances des particularités orthographiques
(accents, lettres doubles, lettres muettes...)
orthographe
vocabulaire
repérage visuel
séquence de lettres

**Habiletés
pratiquées**

Le petit train

Encercle la lettre inscrite sur la locomotive dans les mots du train. La lettre peut se trouver plus d'une fois dans le même mot.

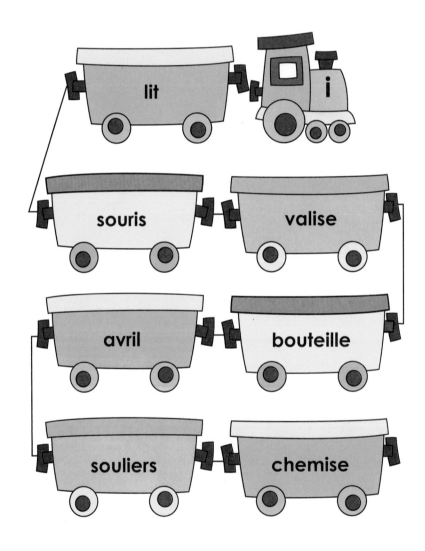

lit

i

souris

valise

avril

bouteille

souliers

chemise

observation
coordination œil/main
vocabulaire
orthographe
repérage visuel
discrimination visuelle

Habiletés pratiquées

Tornade de lettres

Suis le chemin pour placer chaque lettre
au bon endroit et former un mot.

La suite

Observe bien la suite. Complète la colonne en encerclant le dessin manquant.

**Habiletés
pratiquées**

sens de l'observation et du détail
perception visuelle

Mots à découvrir

Écris le mot correspondant à chaque image. Transcris la lettre pointée par la flèche pour trouver la solution.

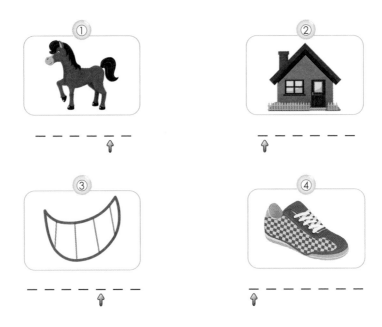

① ↑

② ↑

③ ↑

④ ↑

1 2 3 4

Habiletés pratiquées

vocabulaire
orthographe
connaissance des particularités orthographiques
(accents, lettres doubles, lettres muettes...)

Les ensembles

Ajoute les dessins manquants dans chaque bulle pour arriver au nombre indiqué.

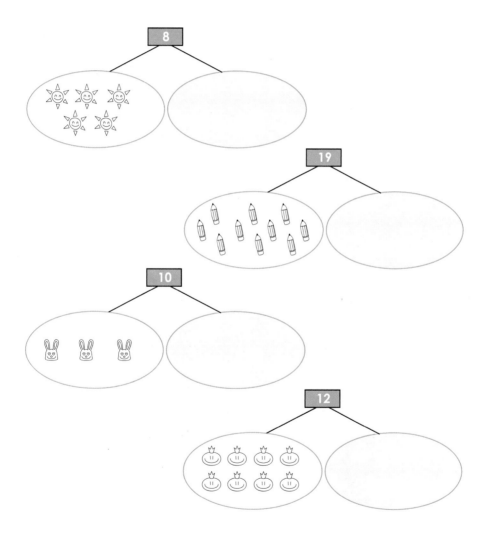

dénombrement
opérations mathématiques : additions

L'intrus

Trouve le mot qui ne va pas avec les autres mots de la liste.

Merveilleux Pierre

semaine   temps

samedi   ~~rose~~

Très difficile pour nous deux
Pierre

Parfaite orthographe

Découvre quel mot est bien écrit
dans chaque liste de mots.

1
- ○ train
- ○ trein
- ○ trin

2
- ○ batau
- ○ bateau
- ○ bato

Habiletés pratiquées

orthographe
connaissance des particularités orthographiques
(accents, lettres doubles, lettres muettes...)
décodage (son des lettres)
vocabulaire

hdpohmhdmdhehd ....

hpodhihddhrhdhde ....

hdhahdnahnhdads ....

hrhdhadihdshihnd ....

chahndthalddouph ....

hcdihdthdhrhodn ....

Labyrinthe

Trouve le chemin entre Megan et le feu de camp.

Jeu
126

Habiletés
pratiquées

repérage visuel
coordination œil/main
orientation spatiale
anticipation des actions à accomplir (fonctions exécutives)

Matrice

Encercle l'image qui complète le mieux la matrice.

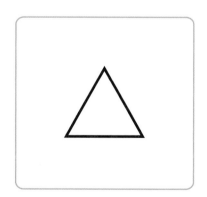

a

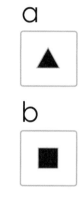

b

c

d

Habiletés pratiquées

logique
déduction
organisation spatiale
anticipation

Mot dans l'ombre

Inscris dans la grille le mot correspondant aux définitions. La première lettre de chaque mot compose la solution. Utilise l'indice pour t'aider.

				d		
1				**d**		
2			**v**			
3				**n**		
4				**e**		

indice: **le roi de la jungle**

1 jour de la semaine
2 visiteur
3 couleur
4 fils du frère ou de la sœur

Point en point

En commençant par l'étoile, relie chaque point,
du plus petit au plus grand, pour terminer le dessin.
Ensuite, mets de la couleur.

Jeu
130

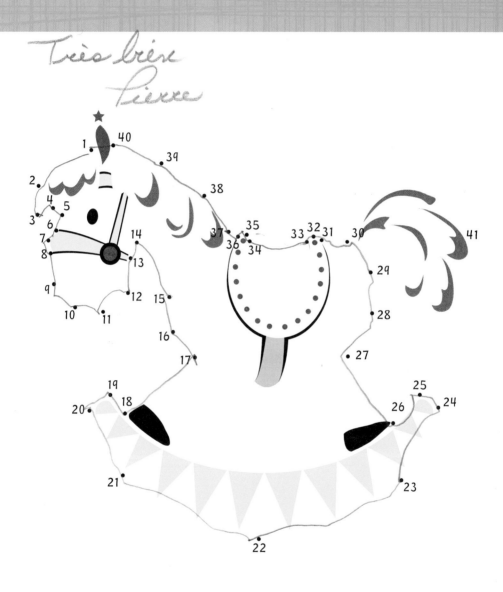

**Habiletés
pratiquées**

numération (ordre des nombres)
coordination motrice
pour le plaisir de s'amuser !

Sudoku dessins

Remplis la grille avec les dessins en respectant 3 règles:
1 - Chaque case doit contenir un dessin.
2 - Tous les dessins doivent se retrouver dans chaque colonne, rangée ou encadré.
3 - Aucun dessin ne doit se répéter dans une même colonne, rangée ou encadré.

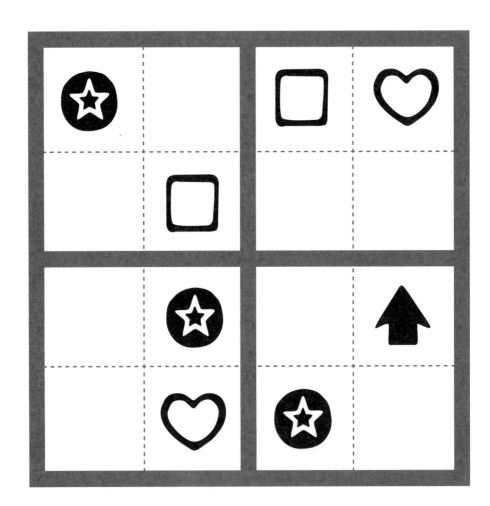

**Habiletés
pratiquées**

observation
logique
orientation spatiale
anticipation des actions à accomplir (fonctions exécutives)

L'artiste

Reproduis le dessin à l'intérieur du cadre.

observation
coordination œil/main
motricité fine (mains)
orientation visuo-spatiale

Mots cachés

Jeu 133

Trouve les mots de la liste dans la grille et encercle-les. Les lettres restantes forment la solution.

F	A	L	L	O	I	R	G
M	E	N	I	R	A	N	R
I	A	G	O	V	N	I	E
N	T	E	R	I	N	R	H
E	I	T	M	E	G	A	C
U	R	R	T	U	B	E	I
R	C	E	D	I	A	U	R
E	E	N	T	R	E	P	A

a
auberge

e
écrit
entre
être

f
falloir

h
habit

m
mineur

n
narine

o
ovni

p
paume

r
région
riche

t
tenir

mot de 5 lettres : _____

Habiletés pratiquées

vocabulaire
orthographe
repérage visuel
connaissance des particularités orthographiques
(lettres doubles, lettres muettes...)

Traducteur

À l'aide de la liste de mots, écris sous chaque
image le mot anglais qui lui correspond.

farm animals

duck   pig

cow   rabbit

1. _ _ **w**

2. _ _ **c** _

3. _ **a** _ **b** _ _

4. _ **i** _

Dessin à colorier

Laisse l'artiste en toi s'amuser à mettre de la couleur.

Habiletés pratiquées

motricité fine (mains)
créativité
pour le plaisir de s'amuser !

L'heure

Relis par un trait les deux horloges qui
affichent la même heure.

Jeu
136

Bravo.
Pierre

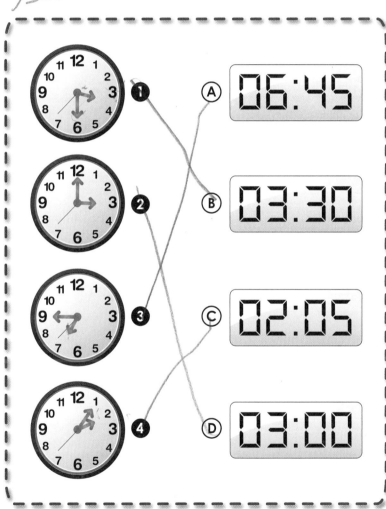

①   Ⓐ 06:45

②   Ⓑ 03:30

③   Ⓒ 02:05

④   Ⓓ 03:00

Code secret

Trouve chaque lettre à partir du code secret et découvre la phrase cachée. N'oublie pas de mettre une lettre majuscule au début de la phrase et des noms propres.

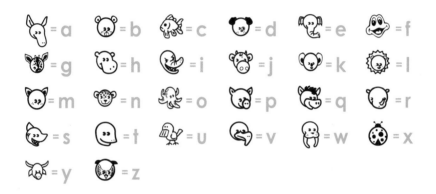

repérage visuel
mémoire visuelle
vocabulaire
orthographe
syntaxe de la phrase

Habiletés pratiquées

Le serrurier

Complète les additions et les soustractions et relie chaque cadenas à la clé qui contient le nombre manquant.

Jeu
138

 11 + 11 = ☐

 4 + ☐ = 8

 18 - ☐ = 16

 4

 8

 10

 2

 22

Symétrie

Complète le dessin et colorie-le.

**Habiletés
pratiquées**

observation
coordination œil/main
motricité fine (mains)
orientation visuo-spatiale

Découvre le mot

Trouve le mot en observant son contour et en t'aidant avec sa définition.

Jeu
140

1

illumine le ciel

2

le chiffre 4

3

pour habiller les jambes

observation de la forme des lettres et du contour du mot
connaissances des particularités orthographiques
(accents, lettres doubles, lettres muettes...)
orthographe
vocabulaire
repérage visuel
séquence de lettres

**Habiletés
pratiquées**

Compte le mot dans la grille

Dans la grille ci-dessous, compte le nombre de fois où le mot « arbre » apparaît.

a	j	l	l	a	r	b	r	e
r	f	a	r	b	r	e	w	z
b	a	p	r	n	m	i	c	q
r	r	u	i	a	r	b	r	e
e	b	k	a	r	b	r	e	d
c	r	a	r	b	r	e	d	e
f	e	j	n	a	r	b	r	e

Le petit train

Jeu
141

Encercle la lettre inscrite sur la locomotive dans les mots du train. La lettre peut se trouver plus d'une fois dans le même mot.

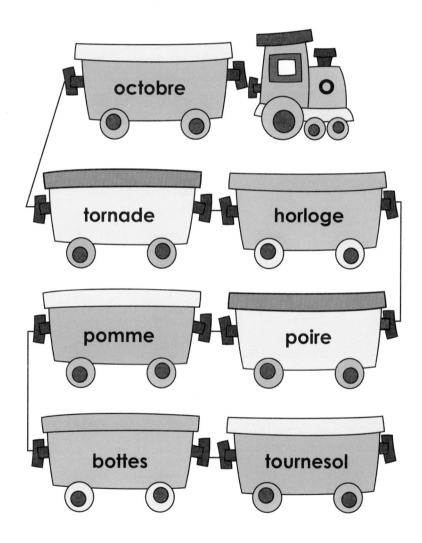

octobre

tornade

horloge

pomme

poire

bottes

tournesol

observation
coordination œil/main
vocabulaire
orthographe
repérage visuel
discrimination visuelle

**Habiletés
pratiquées**

Tornade de lettres

Suis le chemin pour placer chaque lettre au bon endroit et former un mot.

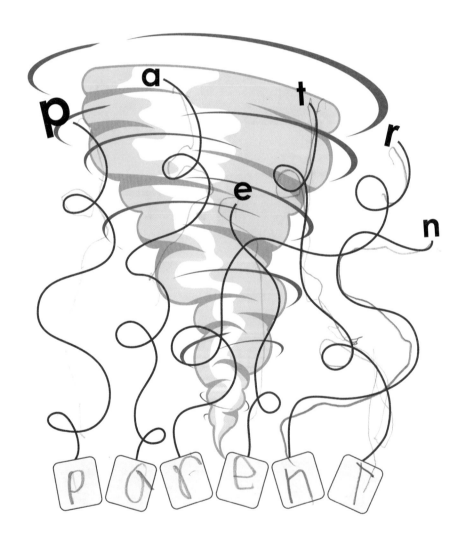

La suite

Observe bien la suite. Complète la colonne en encerclant le dessin manquant.

Jeu
143

Habiletés pratiquées

observation
séquence des images pour former des suites
mémoire visuelle

6 erreurs

Observe bien ces deux images
et trouve les six différences.

**Habiletés
pratiquées**

sens de l'observation et du détail
perception visuelle

Mots à découvrir

Écris le mot correspondant à chaque image. Transcris la lettre pointée par la flèche pour trouver la solution.

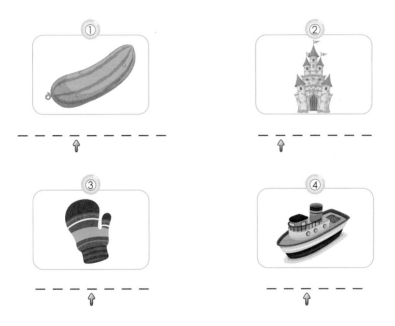

① _ _ _ _ _ _ _
        ↑

② _ _ _ _ _ _
        ↑

③ _ _ _ _ _ _ _
        ↑

④ _ _ _ _ _
        ↑

_ _ _ _
1 2 3 4

Habiletés pratiquées

vocabulaire
orthographe
connaissance des particularités orthographiques
(accents, lettres doubles, lettres muettes...)

Les ensembles

Jeu
146

Les ensembles

Ajoute les dessins manquants dans chaque bulle pour arriver au nombre indiqué.

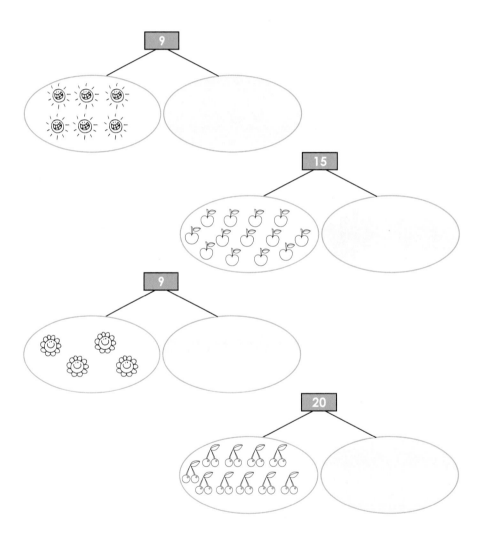

L'intrus

Trouve le mot qui ne va pas avec les autres mots de la liste.

Jeu
147

canard   bœuf

coq   louve

L'unique

Trouve le dessin qui est différent des autres.

Habiletés pratiquées

mémoire visuelle
discrimination visuelle
sens de l'obsevation et du détail

1
- ◯ torttue
- ◯ tortu
- ◯ tortue

2
- ◯ poisson
- ◯ poison
- ◯ poizon

Habiletés pratiquées

orthographe
connaissance des particularités orthographiques
(accents, lettres doubles, lettres muettes...)
décodage (son des lettres)
vocabulaire

L'imposteur

Élimine les lettres x et w.
Tu découvriras six articles scolaires.

xwcrwxaxywownw

xcaxwhxwxixewrw

xfexwuwxixlxlxwxe

wrxxwwèxglwxxwe

xefxwxxfxwxaxwce

xxwswtwyxwwloxw

cragon

cahier

feuille

règle

efface

stylo

Labyrinthe

Trouve le chemin entre Juliette et le lavabo.

Habiletés pratiquées

repérage visuel
coordination œil/main
orientation spatiale
anticipation des actions à accomplir (fonctions exécutives)

Mot dans l'ombre

Inscris dans la grille le mot correspondant aux définitions. La première lettre de chaque mot compose la solution. Utilise l'indice pour t'aider.

			n			
1						
2		b				
3			c			
4				r		

indice : **espace vert pour jouer**

1 animal noir et blanc
2 japper
3 maison des abeilles
4 décoration accrochée au mur

Bingo

Trouve la ligne gagnante. Pour chaque jeton, encercle le numéro sur ta carte s'il s'y trouve. La case du centre est gratuite, encercle-la tout de suite. Quand tu as rempli toute une ligne, tu peux crier BINGO!

G 47	B 4	N 31	I 17	I 28	N 39	I 25	I 24
N 44	I 27	B 1	G 51	O 61	O 73	G 53	G 60
G 52	I 19	O 71	O 64	O 72	O 75	N 41	O 74
B 9	O 69	I 20	N 37	O 63	G 48	O 65	G 49
I 22	I 29	G 58	G 56	B 6	B 13	N 32	N 42

bingo

B	I	N	G	O
7	26	34	55	64
9	22	45	54	61
10	18	★	56	71
14	24	38	59	75
12	21	35	48	65

Habiletés pratiquées

repérage visuel
connaissance des nombres

Bourrasque de mots

Replace les lettres dans le bon ordre pour former des mots.

flseouf

_ _ _ **f** _ _ _

baetlua

_ _ **b** _ _ _ _

iépne

_ **p** _ _ _

rubere

_ _ **U** _ _ _

Habiletés pratiquées

vocabulaire
orthographe
séquence des lettres pour former les mots et des syllabes
connaissance des particularités orthographiques
(accents, lettres doubles, lettres muettes...)

Compte le mot dans la grille

Dans la grille ci-dessous, compte le
nombre de fois où apparaît le mot « hiver ».

a	v	j	p	h	i	v	e	r
q	h	i	v	e	r	b	k	r
h	s	h	i	v	e	r	c	h
i	d	t	e	u	f	k	g	i
v	v	w	h	i	v	e	r	v
e	x	h	l	y	m	z	o	e
r	a	h	i	v	e	r	n	r

Réponse
sept fois

**Habiletés
pratiquées**

repérage visuel
reconnaissance des lettres
capacité d'attention

Point en point

En commençant par l'étoile, relie chaque point,
du plus petit au plus grand, pour terminer le dessin.
Ensuite, mets de la couleur.

**Habiletés
pratiquées**

numération (ordre des nombres)
coordination motrice
pour le plaisir de s'amuser !

Sudoku dessins

Jeu
156

Remplis la grille avec les dessins en respectant 3 règles :
1 - Chaque case doit contenir un dessin.
2 - Tous les dessins doivent se retrouver dans chaque colonne, rangée ou encadré.
3 - Aucun dessin ne doit se répéter dans une même colonne, rangée ou encadré.

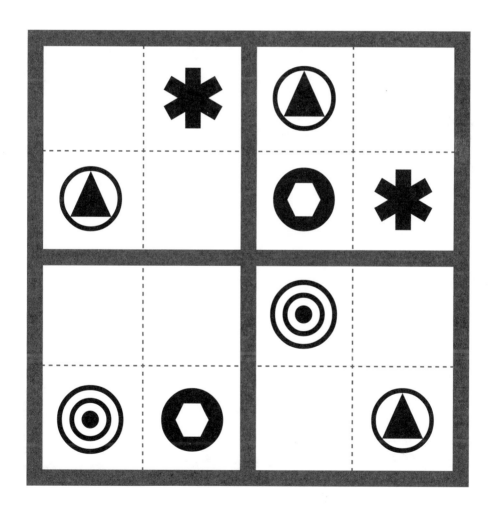

L'artiste

Reproduis le dessin à l'intérieur du cadre.

Habiletés pratiquées

observation
coordination œil/main
motricité fine (mains)
orientation visuo-spatiale